D0433378

Lluniau llanw gan Rebecca Wilson 10^1/$_2$ oed
Diolch i Ysgol Gynradd St. Michael's
am helpu gyda'r lluniau llanw – K.P.

I Katya Wright   K.P.

I'm chwaer annwyl Moya a'i gŵr hyfryd Basil   V.T.

ⓟ Oxford University Press 2003 ©
ⓟ Y testun Cymraeg: Sioned Lleinau 2004 ©

Cyhoeddwyd gyntaf ym Mhrydain yn 2003 gan Oxford University Press
Great Clarendon Street, Rhydychen, OX2 6PD.

Argraffiad Cymraeg cyntaf: 2004

Dymuna'r cyhoeddwyr gydnabod cymorth
Adrannau Cyngor Llyfrau Cymru.

Cyhoeddwyd gan Wasg Gomer, Llandysul, Ceredigion, SA44 4QL

Argraffwyd yng Ngwlad Belg.

ISBN 1 84323 364 9

CYFRIFIADUR NEWYDD

Wini

Korky Paul and Valerie Thomas

Addasiad Sioned Lleinau

GOMER

Roedd gan Wini'r Wrach gyfrifiadur
newydd sbon. Roedd hi'n llawn cyffro.
Roedd ei chath, Mali, yn llawn cyffro
hefyd. Tybiai fod rhywbeth diddorol ar
fin digwydd a doedd hi ddim am ei golli.

Gosododd Wini'r cyfrifiadur yn ei le,
ei droi ymlaen, a chlicio'r llygoden.

Ai *llygoden* sydd ganddi? meddyliodd
Mali. Mae'n edrych braidd yn od.

Dechreuodd Wini syrffio'r we.
Roedd Mali eisiau golwg fwy manwl ar y llygoden.
Pawenodd hi.

'Paid cyffwrdd â'r llygoden, Mali!' meddai Wini.
'Rwy eisiau archebu Ffon Hud newydd!'

Pawenodd Mali'r llygoden unwaith eto. Yn dyner, dyner.

Roedd Wini'n grac.
Gwthiodd Mali allan o'r tŷ.
Doedd hi ddim wedi sylwi ei bod
yn bwrw glaw . . .

Ond roedd Mali wedi sylwi. Roedd hi'n gwlychu.
Gwyliodd Wini drwy'r ffenest. Roedd hi'n cael hwyl.

Archebodd Ffon Hud newydd, ac yna aeth
i wefan www.gwrachod-gwirion.com.
Roedd ganddyn nhw jôcs doniol dros ben.
'Ha, ha, ha,' chwarddodd Wini.

Ond doedd Mali ddim yn chwerthin.
Roedd y glaw yn diferu oddi ar ei wisgars.
'Mi-aw,' llefodd. 'Miiii-aaaaw!'
Ond doedd Wini ddim yn gallu ei chlywed.

Mae'r llygoden yna wedi ei swyno, meddyliodd Mali.

plop Plop plop
plop Plop
plop plop
Plop

Plop, plop, plop.
'Beth yw'r sŵn yna?' holodd Wini.

Sŵn y glaw oedd e.
Roedd yn disgyn drwy'r to.

'O na!' meddai Wini. 'Bydd
y glaw yn gwneud difrod i
'nghyfrifiadur newydd i! Rhaid
i mi gael y Swyn Trwsio To.'

Ond doedd hi ddim yn gallu dod o hyd i'w
Llyfr Swynion na'i Ffon Hyd yn unman.

'O, ble allan nhw fod?' llefodd
wrth i'r glaw ddal i ddisgyn.

O'r diwedd cafodd hyd iddyn nhw.
Chwifiodd ei Ffon Hud i gyfeiriad
y to saith o weithiau, gan weiddi,

ABRACADABRA!

Peidiodd y glaw â disgyn.
'Diolch byth!' ebychodd Wini.

Yna cafodd syniad ardderchog.

'Pe bawn i'n sganio fy holl swynion i mewn i'r cyfrifiadur,' meddai,
'fe alla i anghofio am fy Llyfr Swynion wedyn. Dim mwy o chwifio fy
ffon hud. Fe alla i ddefnyddio 'nghyfrifiadur. Un clic i wneud y tric.'

Felly dyma Wini' n rhoi ei holl swynion i mewn i grombil y cyfrifiadur
newydd. 'Gwell i mi roi cynnig arni,' meddai.
'Beth alla i ei wneud?'

'Rwy'n gwybod, beth am droi Mali'n gath las?'

Gadawodd Mali yn ôl i mewn i'r tŷ.
Yna aeth Wini draw at y cyfrifiadur,
clicio ar y llygoden, a dyma Mali'n
troi'n lliw glas llachar.

'Gwych!' meddai Wini.
'Mae'n gweithio!'

Cliciodd ar y llygoden, a throdd Mali'n ôl yn gath ddu unwaith eto.
Yn gath grac, wlyb, ddu.

'Wel, Mali,' meddai Wini, 'Does arna i ddim
angen y Llyfr Swynion a'r Ffon Hud nawr.'

A dyma hi'n eu rhoi yn
y bin sbwriel y tu allan.

Y noson honno, arhosodd Mali nes y gallai
glywed Wini'n chwyrnu'n braf yn ei gwely.
Yna cripiodd i lawr y grisiau.

Roedd yn mynd i roi trefn ar y llygoden yna!

Pawenodd hi.
Dim ymateb.
'Mi-aw, grrrssss!' poerodd.
Gafaelodd yn dynn yn y llygoden, a'i thaflu
i'r awyr, tra oedd hithau'n rowlio ar ei chefn
yr un pryd.

Roedd Wini wedi cysgu'n
braf drwy'r nos.
Ben bore, daeth i lawr i'r gegin
i gael brecwast.

'Brecwast, Mali,' galwodd.
'Ble'r wyt ti, Mali fach?'

Aeth i chwilio yn yr ardd, yn yr ystafell ymolchi, yn y cypyrddau.
Dim sôn am Mali. Yna aeth i chwilio yn ystafell y cyfrifiadur . . .

‘O NA!!!’ sgrechiodd Wini.
‘Ble’r wyt ti, Mali? A ble mae’r cyfrifiadur?’

Twriodd yn y cwpwrdd i chwilio
am ei Llyfr Swynion.
Rhoddodd ei llaw yn ei phoced
i estyn ei Ffon Hud.

Yna cofiodd.
Roedden nhw yn y bin sbwriel!

Rhedodd at y ffenest.
Roedd y dyn lludw wrthi'n arllwys
y sbwriel i grombil ei lorri.

'Stop!' gwaeddodd Wini. 'STOP!'
Ond roedd hi'n rhy hwyr. Doedd
y dyn lludw ddim yn gallu ei
chlywed. Neidiodd hwnnw'n ôl i
mewn i'w lorri a gyrru i ffwrdd.

'Beth wna i?' llefodd Wini.

Yna daeth lorri arall i fyny'r lôn.
'Fy Ffon Hud newydd!' ebychodd Wini.
'Mae hi wedi cyrraedd! Diolch byth!'

Cydiodd yn dynn yn y Ffon newydd, ei chwifio unwaith, a gweiddi,

ABRACA

Hedfanodd y Llyfr Swynion allan o'r lorri ludw, i fyny i'r awyr . . .

DABRA!

. . . a disgyn i'w breichiau.

Rhuthrodd Wini i mewn i'r tŷ, gan chwilio yn ei llyfr am swyn i wneud i bopeth ailymddangos. Yna caeodd ei llygaid, a chwifiodd ei Ffon Hud yn yr awyr bedair gwaith gan weiddi,

ABRACADABRA!

Daeth y cyfrifiadur a Mali yn eu holau.
'O Mali!' ebychodd Wini. 'Rwyt ti'n las llachar!
Beth yn y byd sydd wedi digwydd? Paid â phoeni,
fe wna i dy droi di'n ôl yn ddu.'

Aeth draw at y cyfrifiadur
a chlicio ar y llygoden.
Trodd Mali'n ôl i fod yn gath ddu unwaith eto.

'Gwych,' meddai Wini.
'Mae'n dal i weithio.'
Rhoddodd ei Llyfr Swynion
a'i Ffon Hud yn ôl yn y cwpwrdd.

'Gwell i mi eu cadw wedi'r cwbwl,' meddai.
'Efallai y bydd arna i eu hangen
rhyw ddiwrnod.'